KB064035

새롭게 바뀐 국어 교과서(읽기, 쓰기, 듣기·말하기)에 따라 바르고 예쁜 글씨 쓰기

한소우

바른글씨 뽐내기

초등 2·2

중앙입시교육연구원

지도하시는
교사·학부모님께

흔히 글씨를 보면 그 사람을 알 수 있다고 할 정도로 우리 조상은 글씨 쓰기를 중요하게 생각하였습니다. 아무리 워드 프로세서와 같은 장치가 일반화되어 있다고 하더라도 글씨를 바르게 쓰도록 하는 것은 학교 교육에서 지속적으로 강조되어 왔습니다.

글씨 쓰기는 일종의 기능이기 때문에 한번 굳어 버리면 고치기가 어려운 특성이 있습니다. 그러므로 초등학교에 들어온 학생들이 잘못된 습관을 가지고 있으면 바로 잡아 주어야 합니다.

이 교재는 초등학교 저학년이 우리말을 바르고 예쁘게 쓰는 '바른 글씨 쓰기'를 목표로 하였습니다. 새롭게 바뀐 국어 교과서(읽기, 쓰기, 듣기·말하기)의 지문을 활용하여 체계적으로 한글을 익히도록 구성하였고, 국어 문법·맞춤법 학습도 함께 다루었습니다.

이들 학습 순서는 어느 정도 순차적인 성격이 있기는 하지만, 성격상 반복 순환하는 것이 바람직하기 때문에 교과서(읽기, 쓰기, 듣기·말하기)의 순서대로 구성하지는 않았습니다.

이 교재의 큰 특징은 따라 쓰기 쉬운 손글씨체를 사용하여 바른 글씨체를 익히도록 한 것입니다. 지루한 글씨 쓰기가 되지 않도록 다양한 내용과 생생한 삽화를 활용하여 재미있게 구성하였고, 가능하면 충분한 글씨 쓰기 연습이 이루어지도록 하였습니다.

또한 받아쓰기 공부를 체계적으로 할 수 있도록 교과서 지문을 단원별로 발췌하여 별도의 받아쓰기 단계표를 제시하였습니다.

학교나 가정에서는 단순한 글씨 쓰기가 아닌 학교 공부와 함께 하는 즐거운 글씨 쓰기가 되도록 지도 및 활용 부탁드립니다.

지은이 씀

구성과 특징

단원의 시작

학습을 시작하기 전, 그림을 보고 공부할 단원의 학습 목표를 미리 생각하고 살펴볼 수 있게 하였습니다.

글씨 바르게 쓰기

교과서의 내용을 중심으로 글자 모양·위치를 고려하여 쓰기, 글자의 간격을 고려하여 쓰기, 개별 낱자에서 음절, 단어, 문장 등의 모범적인 글씨를 제시하여 바르게 충분히 연습하여 쓰도록 하였습니다.

정리하기 및 쉬는 시간

한 단원을 마치고 난 후, 공부한 내용을 간단히 정리할 수 있는 문제를 선정하여 수록하였으며, 쉬는 시간의 재미있는 놀이를 통해 더욱 흥미롭게 글씨 쓰기를 할 수 있도록 구성하였습니다.

부록 : 단계별 단원 받아쓰기

차례

1 느낌을 나누어요

 바른 맞춤법을 알아봅시다. 쓰기 102쪽

※ 할아버지, 할머니의 대화를 살펴봅시다.

> 여보, 초등학교 때 썼던 그림일기를 읽어보니 '열심이 공부했다.'라고 썼었네요. 허허.

> 영감, 그땐 맞춤법을 잘 몰랐었네요. 다시 읽어보니 재미있어요. 호호호.

※ 잘못된 맞춤법을 바르게 알아봅시다.

열심이 공부했다.　→　열심히 공부했다.

(×)　　　　　　　　(○)

 '이'로 써야 할지 '히'로 써야 할지 고민되는 경우가 있습니다. 이 단원에서 공부하고 바르게 써 봅시다.

1 다음 **보기**를 읽어 보고, 바르게 써 봅시다.

> **보기**
>
> ○○이? ○○히?
>
> 읽을 때에 '이'로만 소리 나면 '○○이'로 적고, '이'나 '히' 소리가 나면 '○○히'로 적으면 됩니다.

(1) | 열 | 심 | 히 | 운동하면 몸도 튼튼해져.

(2) 도서실에서는 | 조 | 용 | 히 | 책을 읽어야 해.

(3) | 곰 | 곰 | 이 | 생각하여 보면 알 수 있어.

(4) | 수 | 북 | 이 | 쌓인 책을 모두 정리하였다.

2 낱말을 바르게 써 봅시다.

열	심	히						
조	용	히						
곰	곰	이						
수	북	이						

글자의 모양을 생각하며 글씨를 바르게 써 봅시다.

1 글 〈퐁퐁이와 툴툴이〉의 내용을 바르게 써 봅시다.

	퐁	퐁	이	와		툴	툴	이

	숙		속	에		퐁	퐁	이	와	V

툴	툴	이	라	는		두		개	의	V

옹	달	샘	이		있	어	요	.	두	V

1 글 〈퐁퐁이와 툴툴이〉의 내용을 바르게 써 봅시다.

옹	달	샘	에	는		종	달	새	의	∨
고	운		소	리	도		담	겨		
있	고	,	파	란		하	늘	도		
담	겨		있	어	요	.				

1 글 〈야들야들 다 익었을까?〉의 내용을 덮어쓰기하여 바르게 써 봅시다.

	옛	날	에		욕	심		많	은	∨
양	반	이		있	었	습	니	다	.	
어	느		날	,	양	반	은		돌	
쇠	를		데	리	고		꿩		사	
냥	을		나	갔	습	니	다	.	양	
반	과		돌	쇠	는		이		산	
에	서		저		산	으	로		꿩	
을		쫓	아	다	니	느	라		고	
생	을		하	였	습	니	다	.	그	
러	다		어	렵	게		꿩		한	∨
마	리	를		잡	았	습	니	다	.	
	"	여	기	에	서		꿩	을		
	먹	고		가	자	꾸	나	.	"	

낱자 사이의 간격을 생각하며 낱말을 바르게 써 봅시다.

쓰기 98쪽

1 낱자 사이의 간격을 생각하며 낱말을 바르게 써 봅시다.

늘　　물

마늘　　늘다　　하늘

인물　　물고기　　우물

1 글 〈야들야들 다 익었을까?〉의 내용을 자음자 'ㄱ'에 유의하여 글씨를 바르게 써 봅시다.

	배	고	픈	돌	쇠	는		신
이		나	서	불	을		피	웠
습	니	다	.	고	기		익	는
냄	새	가		풍	겨		오	자	,

1 글 〈야들야들 다 익었을까?〉의 내용을 자음자 'ㄱ'에 유의하여 글씨를 바르게 써 봅시다.

양	반	은		꿩	고	기	를		혼
양	반	은		꿩	고	기	를		혼
자		먹	고		싶	었	습	니	다.
자		먹	고		싶	었	습	니	다.
	양	반	이		꾀	를		내	어
	양	반	이		꾀	를		내	어
말	하	였	습	니	다.				
말	하	였	습	니	다.				

1 글 〈퐁퐁이와 툴툴이〉의 내용을 바르게 써 봅시다.

	퐁	퐁	이	와		툴	툴	이	
	가	을	이		되	었	어	요	.
한		잎	,	두		잎	,	나	뭇
잎	이		바	람	에		떨	어	지
기		시	작	하	였	어	요	.	
	"	얘	,	그		많	은		동

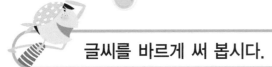

1 글 〈퐁퐁이와 툴툴이〉의 내용을 바르게 써 봅시다.

물	이		네		물	을		마
셨	으	니		네		가	슴	은 ∨
바	짝		말	랐	겠	구	나	. ”
	툴	툴	이		옹	달	샘	의
말	에		퐁	퐁	이		옹	달	샘
이		말	하	였	어	요	.	

글씨를 바르게 써 봅시다.

읽기 18쪽

1 글 〈퐁퐁이와 툴툴이〉의 내용을 바르게 써 봅시다.

		"	내		가	슴	에	는		항
	상		새	로	운		물	이		
	숫	고		있	단	다	.	"		
	바	람	이		후	루	룩		지	
나	가	자	,		빨	간		단	풍	잎
이		옹	달	샘	에		떨	어	졌	

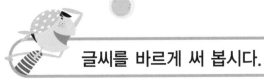

글씨를 바르게 써 봅시다.

읽기 18쪽

1 글 〈퐁퐁이와 툴툴이〉의 내용을 바르게 써 봅시다.

어	요	.		다	람	쥐	가		달	려
와		퐁	퐁	이		옹	달	샘		
위	에		떠		있	는		단	풍	
잎	을		건	져		내	고		홀	
짝	홀	짝		샘	물	을		마	셨	
어	요	.								

지금까지 배운 내용을 정리하여 봅시다.

1 다음 문장에서 맞는 글자를 선택하여 다시 바르게 써 봅시다.

(1) 철이는 지난 일을 (곰곰히 / 곰곰이) 생각해 보았다.

→ _____

(2) 배가 불러서 (도저이 / 도저히) 더 못 먹겠어.

→ _____

(3) 길거리에 쓰레기가 (수북이 / 수북히) 쌓였구나!

→ _____

(4) 도서실에서는 (조용히 / 조용이) 해야 한다.

→ _____

2 다음 문장을 바르게 옮겨 써 봅시다.

한 잎, 두 잎, 나뭇잎이 바람에 떨어지기 시작하였어요.

낱말 가족 알아보기

⊙ 떠오르는 새의 종류를 써 봅시다.

앵무새

새

참 새

⊙ 떠오르는 과일의 이름을 써 봅시다.

사 과

과일

2 바르게 알려 줘요

 '을'과 '를'의 바른 맞춤법을 알아봅시다.

쓰기 19쪽

※ 지은이는 그림일기를 쓰고 있습니다. 글씨를 쓰다가 '을'로 써야 할지 '를'로 써야 할지 고민이 되었습니다. 어떤 것이 옳은지 살펴봅시다.

'공부를? 공부을?'
어떤 것으로
써야 할까?

다음 문장에서 '을'로 써야 할까요? '를'로 써야 할까요?

공부를?

공부 를 열심히 했습니다.

공부을?

 '공부를 열심히 했습니다.'로 써야 합니다.

1 다음 문장을 **보기**처럼 완성해 봅시다.

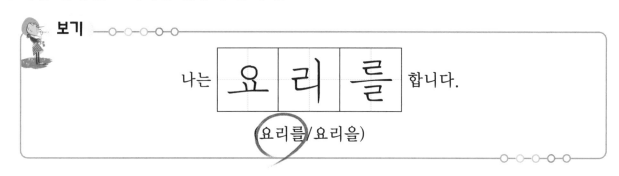

보기

나는 [요][리][를] 합니다.

(요리를/요리을)

(1) [책][을] 재미있게 읽다.

(책를/책을)

책	을		재	미	있	게		읽	다.

(2) [감][투][를] 쓰면 재밌어.

(감투를/감투을)

감	투	를		쓰	면		재	밌	어.

바른 맞춤법을 알아봅시다.

쓰기 26쪽

1 다음 글을 읽고, 밑줄 친 낱말을 바르게 써 봅시다.

미운 아기 오리

오리 가족 가운데 못생긴 아기 오리가 있었어요. 색깔도, 크기도 달라서 형제들이 놀아 주지 (1) 안았어요. 사실은 미운 아기 오리는 우아하고 아름다운 백조였답니다. 못생기고 옷도 지저분한 친구가 (2) 실었는데, (3) 겉모습만 보고 친구를 멀리한 것이 부끄러워요.

(1) 안았어요 → 않았어요

않	았	어	요
않	았	어	요

(2) 실었는데 → 싫었는데

싫	었	는	데
싫	었	는	데

(3) 겉모습 → 겉모습

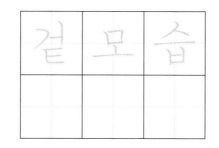

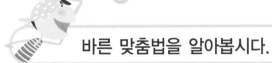 

1 다음 글을 읽고, 밑줄 친 낱말을 바르게 써 봅시다.

나는 '도깨비감투'라는 책을 (1) 재미잇게 읽었습니다. 도깨비감투는 도깨비가 주인공에게 준 모자입니다. 그런데 그 감투를 쓰면 몸이 보이지 않아서 주인공이 도깨비감투를 쓰고 도둑질을 하였습니다. 도둑질은 나쁜 짓이지만 나에게도 도깨비감투가 있으면 (2) 조켔다고 책을 (3) 잃는 동안 생각하였습니다.

(1) 재미잇게 → 재미있게　　　(2) 조켔다고 → 좋겠다고　　　(3) 잃는 → 읽는

재	미	있	게	좋	겠	다	고	읽	는

글자의 모양을 생각하며 글씨를 바르게 써 봅시다.

1 글 〈고래가 물을 뿜어요〉의 내용을 바르게 써 봅시다.

	고	래	는		종	류	에		따
	고	래	는		종	류	에		따
라		물	을		뿜	는		모	양
라		물	을		뿜	는		모	양
이		달	라	.	그	래	서		물
이		달	라	.	그	래	서		물
을		뿜	는		모	양	만		보
을		뿜	는		모	양	만		보

1 글 〈고래가 물을 뿜어요〉의 내용을 바르게 써 봅시다.

아	도		어	떤		고	래	인	지	∨
아	도		어	떤		고	래	인	지	
알			수		있	어	.	물	을	
알			수		있	어	.	물	을	
가	장		높	이		내	뿜	는		
가	장		높	이		내	뿜	는		
고	래	는		대	왕	고	래	야	.	
고	래	는		대	왕	고	래	야	.	

덮어쓰기를 하여 봅시다.

읽기 28쪽

1 글 〈고래가 물을 뿜어요〉의 내용을 덮어쓰기하여 바르게 써 봅시다.

	고	래	는		왜		물	을	
뿜	을	까	?		오	랫	동	안	
잠	수	한		고	래	는		물	
위	로		올	라	와		참	고	
있	던		숨	을		한	꺼	번	에
숨	구	멍	으	로		뿜	어	낸	단
다	.	그	때	,	고	래	의		따
뜻	한		숨	과		차	가	운	
공	기	가		서	로		닿	아	
뭉	치	면	서		흰		물	보	라
처	럼		보	이	지	.			
	물	을		내	뿜	는		숨	구
멍	은		어	디	에		있	을	까 ?

1 글 〈속담〉의 내용을 자음자 'ㅅ'에 유의하여 글씨를 바르게 써 봅시다.

속	담	에	는		조	상	의
지	혜	가		담	겨		있	습	니
다	.	그	래	서		속	담	을
넣	어		말	하	면		내		생

1 글 〈속담〉의 내용을 자음자 'ㅅ'에 유의하여 글씨를 바르게 써 봅시다.

각	을		좀		더		쉽	고	
각	을		좀		더		쉽	고	
분	명	하	게		전	할		수	
분	명	하	게		전	할		수	
있	습	니	다	.	그	래	서		속
있	습	니	다	.	그	래	서		속
담	을		사	용	합	니	다	.	
담	을		사	용	합	니	다	.	

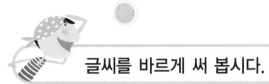

1 글 〈장승〉의 내용을 바르게 써 봅시다.

나	무	나		돌	을		깎	아	∨
만	든		장	승	을		본		적
이		있	니	?		옛	날		사
람	들	은		마	을		어	귀	나	∨
길	가	에		장	승	을		세	워	∨
두	었	단	다	.		그	래	서	길

1 글 〈장승〉의 내용을 바르게 써 봅시다.

을		가	다	가		흔	히		장
승	을		볼		수		있	었	어.
	옛	날		사	람	들	은		왜
장	승	을		세	워		놓	았	을
까	?		사	람	들	은		장	승
이		자	기	네		마	을	을	

2 바르게 알려 줘요

1 글 〈장승〉의 내용을 바르게 써 봅시다.

지	켜		주	는		구	실	을	
한	다	고		생	각	하	였	어	.
장	승	이		나	쁜		병	이	나
기	운	을		마	을	로		들	어
오	지		못	하	게		한	다	고
믿	었	지	.						

지금까지 배운 내용을 정리하여 봅시다.

1 다음 문장에서 '을/를'이 바르게 사용된 문장에 ○표, 틀린 문장에 ×표를 해 봅시다.

(1) "저기 고래가 물를 뿜는다!"   – (   )

(2) 말을 곱게 해야 합니다.   – (   )

(3) 왜 장승을 세워 놓았을까?   – (   )

(4) 책을 재미있게 읽었습니다.   – (   )

2 다음 문장에서 맞춤법이 틀린 글자를 바르게 고쳐 다시 써 봅시다.

(1)   저는 '여우와 두루미'라는 책을 소개하겠씁니다.

→ _____

(2)   나는 책을 재미있게 잃었어.

→ _____

(3)   나의 걷모습이 자랑스러워.

→ _____

쉬는 시간

열 고개 놀이

열 고개 놀이는 한 고개씩 차례로 읽으면서, 되도록 앞쪽 고개에서 문제를 맞추는 사람이 이기는 게임입니다.

Q 다음 **보기**에서 설명하는 책 제목은 무엇인가요? (한 고개씩 차례로 읽어 보세요.)

> **보기**
>
> 한 고개. 옛날 이야기입니다.
>
> 두 고개. 주인공은 형제입니다.
>
> 세 고개. 한 사람은 부자이고, 다른 한 사람은 가난합니다.
>
> 네 고개. 한 사람은 착하고, 다른 한 사람은 심술쟁이입니다.
>
> 다섯 고개. 책 제목은 형제의 이름입니다.
>
> 여섯 고개. 우리나라의 전래 동화입니다.
>
> 일곱 고개. 이야기 속에서 제비가 중요한 역할을 합니다.
>
> 여덟 고개. 두 형제 모두 박씨를 심습니다.
>
> 아홉 고개. 착한 동생이 심은 박에서는 '금은보화'가 나옵니다.
>
> 열 고개. 착한 동생은 제비의 다리를 바른 마음으로 고쳐줍니다.

1 위 **보기**에서 설명하는 책 제목은 무엇인가요?

(   )

2 나는 몇 고개에서 책 제목을 맞추었나요?

(고개)

3 생각을 나타내요

 높임법을 사용하여 바르게 써 봅시다. 쓰기 34쪽

※ 윤지가 '부모님께 부탁하는 글'을 쓰려고 하는 모습입니다. 윤지의 부탁하려고 하는 말을 살펴봅시다. 과연, 예의 바른 말인가요?

주말에 놀이동산에 놀러 가자고 부모님께 부탁해야지. "이번 주에 나들이 가면 좋겠어."라고 써야지.

※ "이번 주에 나들이 가면 좋겠어."를 높임법으로 바꾸어 쓰면 다음과 같습니다.

		"	이	번		주	에		나	들
이		가	면		좋	겠	어	요	.	"

 부탁하고 싶은 것이 있을 때에는 읽는 사람을 생각하여 예의 바르게 부탁해야 합니다. 이 단원에서는 높임법을 알아보고 바르게 써 봅시다.

알맞은 낱말을 찾아 채워 봅시다.

읽기 126~127쪽

1 알맞은 낱말을 **보기**에서 찾아 바르게 넣어 다시 써 봅시다.

> **보기**
>
> 숙여, 달걀, 모아

(1) 상체를 | 숙 | 여 | 공손하게 인사합니다.

(2) 힘을 | 모 | 아 | 청소합시다.

(3) 우리 집 닭이 | 달 | 걀 | 을 낳았습니다.

높임법을 바르게 써 봅시다.

1 다음 문장을 높임법을 사용하여 바르게 써 봅시다.

(1) 주말에 야외로 나들이 가자.

	주	말	에		야	외	로		나
들	이		가	요	.				

(2) 단풍이 예쁘게 물들었다고 하는데 구경 가고 싶어.

	단	풍	이		예	쁘	게		물
들	었	다	고		하	는	데		구
경		가	고		싶	어	요	.	

1 다음 부탁하는 내용의 글을 바르게 써 봅시다.

너희들이 공원에서 즐겁게 노는 것은 좋지만 잔디를 밟고 꽃을 꺾으면 다른 사람들이 그 예쁜 잔디와 꽃을 볼 수가 없단다. 그러니까 '잔디 보호'라고 적힌 곳에는 들어가지 말고 눈으로만 감상했으면 좋겠어.

	너	희	들	이		공	원	에	서	V
즐	겁	게		노	는		것	은		
좋	지	만		잔	디	를		밟	고	V
꽃	을		꺾	으	면		다	른		
사	람	들	이		그		예	쁜		

내 생각을 담아 부탁하는 글을 써 봅시다.

1 다음 부탁하는 내용의 글을 바르게 써 봅시다.

잔	디	와		꽃	을		볼	수
가		없	단	다	.	그	러	니까
'	잔	디		보	호	'	라	고
적	힌		곳	에	는		들	어가
지		말	고		눈	으	로	만
감	상	했	으	면		좋	겠	어 .

1 글 〈세모, 네모, 동그라미〉의 내용을 바르게 써 봅시다.

	세	모	,	네	모	,	동	그	라
미	가		있	었	어	요	.		세	모
와		네	모	가		서	로			자
기		자	랑	을		하	였	어	요	.

글자의 모양을 생각하며 글씨를 바르게 써 봅시다.

1 글 〈세모, 네모, 동그라미〉의 내용을 바르게 써 봅시다.

세	모	는		뽀	족	한		자
기		머	리	를		자	랑	하	였
고	,	네	모	는		넓	적	한
자	기		얼	굴	을		자	랑	하

1 글 〈세모, 네모, 동그라미〉의 내용을 바르게 써 봅시다.

였	어	요	.	동	그	라	미	는	
였	어	요	.	동	그	라	미	는	
아	무		자	랑	도		하	지	
아	무		자	랑	도		하	지	
않	았	답	니	다	.	그	때	,	갑
않	았	답	니	다	.	그	때	,	갑
자	기		비	가		내	렸	어	요 .
자	기		비	가		내	렸	어	요 .

덮어쓰기를 하여 봅시다.

읽기 43~44쪽

1 글 〈지혜로운 아들〉의 내용을 덮어쓰기하여 바르게 써 봅시다.

	찬	바	람	이		쌩	쌩		부
는		겨	울	날	,	사	또	가	
이	방	을		불	렀	어	.		
	"	여	봐	라	,	이	방	.	산
	딸	기	를		따		오	너	라 . "
	이	방	은		어	리	둥	절	하
였	어	.							
	"	사	또	,	지	금	은		겨
	울	이	라	서		산	딸	기	를
	구	할		수		없	습	니	다 . "
	"	무	엇	이	라	고	?	"	
	사	또	는		이	방	에	게	
화	를		내	었	지	.			

1 글 〈지혜로운 아들〉의 내용을 자음자 'ㅅ'에 유의하여 글씨를 바르게 써 봅시다.

	옛	날		옛	적	,	어	느	
	옛	날		옛	적	,	어	느	
고	을	에		심	술	궂	은		사
고	을	에		심	술	궂	은		사
또	가		살	았	어	.	이	방	은 ∨
또	가		살	았	어	.	이	방	은
심	술	궂	은		사	또		때	문
심	술	궂	은		사	또		때	문

1 글 〈지혜로운 아들〉의 내용을 자음자 'ㅅ'에 유의하여 글씨를 바르게 써 봅시다.

에		고	생	을		하	였	지	.
사	또	가		무	슨		엉	뚱	한 ∨
일	을		시	킬	지		몰	라	
늘		걱	정	이		되	었	어	.

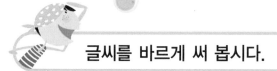

1 글 〈주혜의 약속〉의 내용을 바르게 써 봅시다.

	지	난		일	요	일	에		주
혜	는		어	머	니	와		어	머
니		배		속	의		동	생	과
산	책	을		하	였	습	니	다	.
	주	혜	는		개	천	으	로	
가	는		골	목	길	을		지	나

글씨를 바르게 써 봅시다.

1 글 〈주혜의 약속〉의 내용을 바르게 써 봅시다.

면	서		예	쁜		꽃	과		나
무	를		보	았	습	니	다	.	그
런	데		개	천		근	처	에	
가	니	까		쓰	레	기	가		쌓
여	있	어		지	저	분	하	게	
보	였	습	니	다	.				

3 생각을 나타내요

글씨를 바르게 써 봅시다.

1 글 〈주혜의 약속〉의 내용을 바르게 써 봅시다.

		"	어	머	니	,		지	금	부	터
		라	도		물	이			오	염	되
		지		않	게		해	야	겠	어	
		요	.		동	생	아	,		네	가
		태	어	날		때	는			개	천	∨
		물	이		깨	끗	할			거	야	. "

지금까지 배운 내용을 정리하여 봅시다.

1 다음 문장을 높임법을 사용하여 예의 바르게 고쳐 다시 써 봅시다.

(1) 　　　　　자동차처럼 움직이는 집이 있으면 좋겠어. → 좋겠어요.

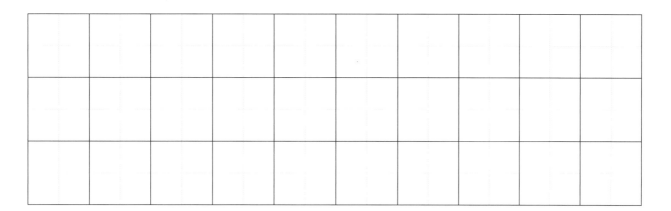

(2) 　　　　　마당이 있는 집에서 살고 싶어. → 싶어요.

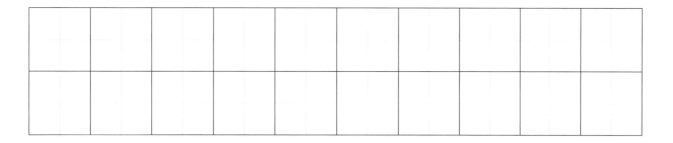

2 알맞은 낱말을 **보기**에서 찾아 문장을 써넣어 봅시다.

> **보기** ──●─●─○──────────────────────────────
>
> 　　　　숙여, 세워, 달걀, 모아, 공, 찾아
>
> ──────────────────────────────●─○─●─○─

(1) 닭이 ＿＿＿＿＿＿＿을(를) 품고 있습니다.

(2) 우리 모두의 힘을 ＿＿＿＿＿＿＿ 어려운 이웃을 도웁시다.

(3) 고개를 ＿＿＿＿＿＿＿ 예의 바르게 인사합니다.

쉬는 시간

숫자 문장 만들기

ⓐ 다음 **보기**는 '숫자송'의 일부입니다. 이와 같이 숫자를 이용하여 문장을 만들어 봅시다.

보기

1 초라도 안보이면 **2** (이)렇게 불안한데 ♫

3 초는 어떻게 기다려 ♫♫♫♫

4 (사)랑해 널 사랑해 **5** (오)늘은 말할거야. ♪

4 마음을 주고받으며

낱말의 뜻을 알아봅시다.

쓰기 43쪽

※ 다음 낱말의 뜻을 살펴봅시다.

| 거름 | 식물이 잘 자라도록 흙에 주는 영양분 |

| 걸음 | 두 발을 번갈아 옮겨 놓는 동작 |

※ 위 낱말을 바르게 써 봅시다.

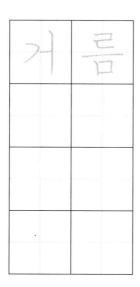

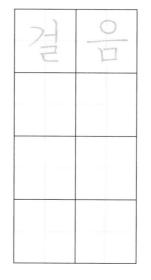

'거름'과 '걸음'은 비슷한 글자로 되어 있지만, 뜻은 서로 다릅니다.
그러므로 그 뜻을 알고 바르게 골라 사용해야 합니다.

1 시 〈홍시〉에 나온 낱말을 바르게 써 봅시다.

홍	시
홍	시

까	마	귀
까	마	귀

오	빠
오	빠

2 시 〈홍시〉에서 '소리를 나타내는 말'을 바르게 써 봅시다.

후	락		딱	딱	휘	이	휘	이	!
후	락		딱	딱	휘	이	휘	이	!

글씨를 바르게 써 봅시다.

읽기 58쪽

1 시 〈홍시〉의 내용을 바르게 써 봅시다.

어	저	께	도		홍	시		하	나	V
어	저	께	도		홍	시		하	나	

오	늘	에	도		홍	시		하	나	V
오	늘	에	도		홍	시		하	나	

까	마	귀	야	,		까	마	귀	야	
까	마	귀	야	,		까	마	귀	야	

우	리		나	무	에		왜		앉	
우	리		나	무	에		왜		앉	

4 마음을 주고받으며

1 시 〈홍시〉의 내용을 바르게 써 봅시다.

왔	나		우	리		오	빠		오
왔	나		우	리		오	빠		오
시	걸	랑			맛		뷜	려	구
시	걸	랑			맛		뷜	려	구
남	겨		뒀	다					
남	겨		뒀	다					
후	락			딱	딱		휘	이	휘	이 |!
후	락			딱	딱		휘	이	휘	이 |!

낱말을 바르게 사용하여 봅시다.

쓰기 34쪽

1 알맞은 낱말을 **보기**에서 찾아 바르게 써 봅시다.

> **보기**
>
> 거름, 걸음, 느려, 늘여

(1) 자동차 속도가 너무 [느려]서 답답해요.

자	동	차		속	도	가		너
무		느	려	서		답	답	해	요.

(2) [거름]을 주면 식물이 잘 자랍니다.

거	름	을		주	면		식	물
이		잘		자	랍	니	다.	

4 마음을 주고받으며

낱말을 바르게 사용하여 봅시다.

쓰기 34쪽

(3) 아기가 아장아장 예쁜 걸음 으로 걸어갑니다.

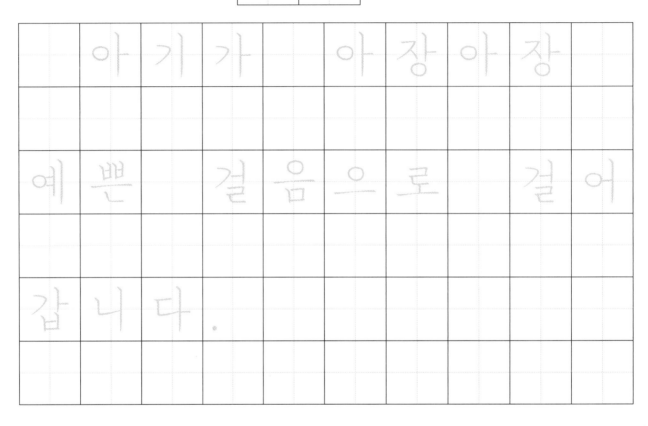

	아	기	가		아	장	아	장	
예	쁜		걸	음	으	로		걸	어
갑	니	다	.						

(4) 엿가락을 늘여 길게 만들었습니다.

| 엿 | 가 | 락 | 을 | | 늘 | 여 | | 길 |
| 게 | | 만 | 들 | 었 | 습 | 니 | 다 | . |

54 2학년 2학기

1 글 〈책이 준 선물〉의 내용을 바르게 써 봅시다.

집	으	로		가	는		발	걸
집	으	로		가	는		발	걸
음	이		가	벼	웠	다	.	길	가
음	이		가	벼	웠	다	.	길	가
의		꽃	들	이		나	를		보
의		꽃	들	이		나	를		보
고		웃	고		있	었	다	.	지
고		웃	고		있	었	다	.	지

4

마음을 주고받으며

4. 마음을 주고받으며 **55**

1 글 〈책이 준 선물〉의 내용을 바르게 써 봅시다.

나	가	는		자	동	차	도		빵
빵		소	리	를		내	며		축
하	하	여		주	는		듯	하	였
다	.								

덮어쓰기를 하여 봅시다.

읽기 67쪽

1 글 〈백두산 장생초〉의 내용을 덮어쓰기하여 바르게 써 봅시다.

	아	주		오	랜		옛	날	,
백	두	산		아	래		외	딴	
마	을	에		어	머	니	와		아
들	이		살	았	습	니	다	.	아
들	은		산	에	서		나	무	를
해	다		팔	거	나	,	품	삯	을
받	고		남	의		일	을		해
주	며		살	아	갔	습	니	다	.
	어	머	니	께	서		병	으	로
누	워		지	내	시	는		날	이
많	았	습	니	다	.	아	들	은	
가	난	하	였	지	만		지	극	한
정	성	으	로		모	셨	습	니	다	.

4 마음을 주고받으며

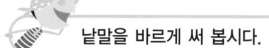
1 낱자 사이의 간격에 유의하여 낱말을 바르게 써 봅시다.

| 늘 | 물 | 풀 |

늘	상
늘	상

샘	물
샘	물

나	풀
나	풀

물	통
물	통

가	늘	다
가	늘	다

물	풀
물	풀

자음자의 위치에 유의하여 글씨를 바르게 써 봅시다.

1 글 〈민지야, 미안해〉의 내용을 자음자 'ㅈ'에 유의하여 글씨를 바르게 써 봅시다.

드	디	어		나	와		내	
짝		민	지		차	례	가		되
었	다	.	그	런	데		내	가
몰	고		가	던		공	이		민

4 마음을 주고받으며

1 글 〈민지야, 미안해〉의 내용을 자음자 'ㅈ'에 유의하여 글씨를 바르게 써 봅시다.

지	가		찬		공	과		부	딪
첫	다	.	그		바	람	에		민
지	가				공	에		걸	려	넘
어	지	고		말	았	다	.		

1 글 〈백두산 장생초〉의 내용을 바르게 써 봅시다.

어	머	니	의		병	이		점
점		심	해	지	자	,	아	들	은	∨
어	머	니	의		병	을		낫	게	∨
할		좋	은		약	을		구	하
기		위	하	여		마	을	에	서	∨
가	장		지	혜	로	운		노	인

4 마음을 주고받으며

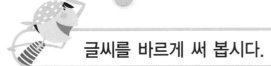

1 글 〈백두산 장생초〉의 내용을 바르게 써 봅시다.

을		찾	아	갔	습	니	다	.	
		백	두	산	은		노	인	의
말	대	로		아	주		높	고	
험	한		산	이	었	습	니	다	.
		'	장	생	초	를		구	할
수		없	단		말	인	가	!	'

지금까지 배운 내용을 정리하여 봅시다.

1 다음 문장을 바르게 옮겨 써 봅시다.

그것을 드시면 어머니의 병이 나을지도…….

2 낱말과 그 뜻이 어울리는 것끼리 연결하여 봅시다.

4
마음을 주고받으며

① 느리다 •

• ㉠ 어떤 물건을 원래 크기보다 더 길게 하다.

② 늘이다 •

• ㉡ 두 발을 옮겨 놓는 동작

③ 거름 •

• ㉢ 식물이 잘 자라도록 흙에 주는 영양분

④ 걸음 •

• ㉣ 어떤 동작을 하는 데 시간이 오래 걸리다.

서로 다른 곳을 찾아라!

ⓐ 다음 두 그림에서 서로 다른 부분을 찾아 ○표를 해 봅시다. (5군데)

5 어떻게 정리할까요?

바른 띄어쓰기를 알아봅시다.

쓰기 104쪽

※ 다음 중 바르게 띄어쓰기를 한 것이 어떤 것인지 살펴봅시다.

어떤 것이 바르게
띄어쓰기 한 것일까?

1. 김미자선생님
2. 김∨미자∨선생님
3. 김∨미자선생님
4. 김미자∨선생님

4. '김미자∨선생님'이라고 쓴 것이
바른 띄어쓰기입니다.

이 단원에서는 이름이 관직 이름이나 호칭과 함께 있을 때, 띄어쓰기를
어떻게 해야 하는지 알아보고, 바르게 써 봅시다.

띄어쓰기를 바르게 하여 써 봅시다.

쓰기 104쪽

1 띄어쓰기 **규칙**을 읽어 보고, 바르게 띄어쓰기를 하여 써 봅시다.

 규칙

1. 성과 이름은 모두 붙여 쓴다.
2. 이름 뒤에 붙는 '관직 이름'이나 '호칭'은 띄어 쓴다.
   예) 이순신∨장군, 동이∨언니

(1) 나는∨김지원이다.

나	는		김	지	원	이	다	.
나	는		김	지	원	이	다	.

(2) 이순신∨장군

이	순	신		장	군	
이	순	신		장	군	

66 2학년 2학기

2 글 〈소중한 이〉의 내용 중 '숫자+단위'의 띄어쓰기 **규칙**을 읽어 보고, 띄어쓰기를 하여 써 봅시다.

규칙

1. 숫자는 모두 붙여 쓴다.
2. 숫자 뒤에 붙는 단위는 띄어 쓴다.
   예) 열여섯∨살, 두∨개

(1) 일곱 살 때부터 이갈이를 시작합니다.

(2) 스물여덟 개의 새 이가 납니다.

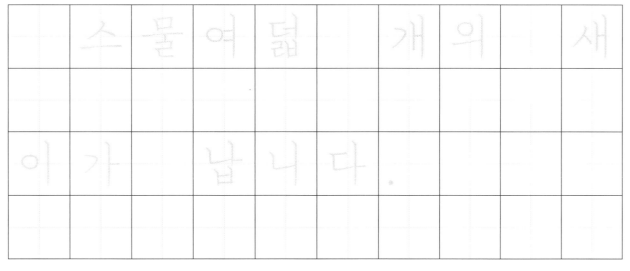

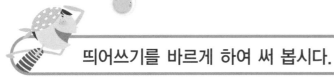

3 다음 문장을 규칙에 맞게 띄어쓰기를 하여 바르게 써 봅시다.

(1) 태어난 지 육 개월쯤 되면 겨우 앞니 두 개가 나오기 시작합니다.

태	어	난		지		육		개
월	쯤		되	면		겨	우	앞
니		두		개	가		나	오	기	∨
시	작	합	니	다	.			

(2) 세 살 정도 되면 스무 개쯤 됩니다.

세		살		정	도		되	면	∨
스	무		개	쯤		됩	니	다	.

낱말을 바르게 써 봅시다.

쓰기 99쪽

1 낱자 사이의 간격에 유의하여 낱말을 바르게 써 봅시다.

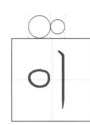

따

이

야

따뜻

이사

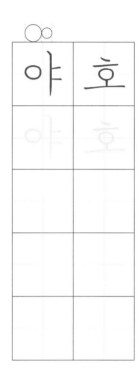

야호

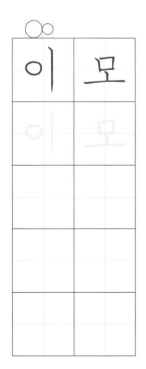

이모

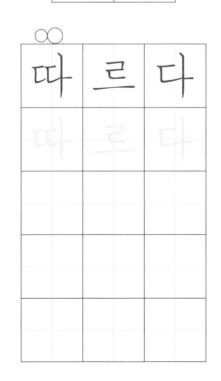

따르다

강약

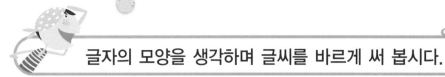 

1 글 〈딱지치기〉의 내용을 바르게 써 봅시다.

딱	지	치	기	는		다	른	
딱	지	치	기	는		다	른	
사	람	의		딱	지	를		따	는
사	람	의		딱	지	를		따	는
놀	이	입	니	다	.	딱	지	치	기
놀	이	입	니	다	.	딱	지	치	기
를		부	르	는		이	름	은
를		부	르	는		이	름	은

1 글 〈딱지치기〉의 내용을 바르게 써 봅시다.

여	러		가	지	입	니	다	.	딱
지	치	기	는		지	역	에		따
라		'	때	기	치	기	'	,	'
표	치	기	'	라	고	도		합	니

1 글 〈딱지치기〉의 내용을 바르게 써 봅시다.

다	.	뒤	집	기	로		딱	지	를	∨
다	.	뒤	집	기	로		딱	지	를	
따	려	면		자	기		딱	지	로	∨
따	려	면		자	기		딱	지	로	
상	대	방	의			딱	지	를		쳐
상	대	방	의			딱	지	를		쳐
서		뒤	집	어	야		합	니	다	.
서		뒤	집	어	야		합	니	다	.

덮어쓰기를 하여 봅시다.

1 글 〈푸른숲수목원〉의 내용을 덮어쓰기하여 바르게 써 봅시다.

	우	리		푸	른	숲	수	목	원
에	는		울	창	한		나	무	
사	이	로		오	솔	길	이		나
있	습	니	다	.	이	곳	에		오
시	면		전	나	무	,	잣	나	무 ,
소	나	무		향	을		맡	으	며
흙	을		밟	고		걸	을		수
있	습	니	다	.					
	오	솔	길	이		끝	나	는	
곳	에		들	꽃		정	원	이	
있	습	니	다	.					
	아	름	다	운		자	연	을	
느	끼	시	기		바	랍	니	다	.

1 글 〈천연 염색 이야기〉의 내용을 자음자 'ㅁ'에 유의하여 글씨를 바르게 써 봅시다.

	오	징	어		먹	물 은	검
	은	색	의		염	료 입 니	다 .
	옷	감	을		오	징 어	먹 물
	에		넣 으 면		검 은 색		

1 글 〈천연 염색 이야기〉의 내용을 자음자 'ㅁ'에 유의하여 글씨를 바르게 써 봅시다.

옷	감	을		얻	을	수	있
습	니	다	.	벌	레	와	조	개
는		종	류	에		따	라	여
러		색	이		나	옵	니	다	.

1 글 〈소중한 이〉의 내용을 바르게 써 봅시다.

젖	니	가		모	두		생	기
면		이	갈	이	를		합	니	다.
이	갈	이	는		젖	니	가		빠
지	고		그		자	리	에		새
로	운		이	가		생	기	면	서
시	작	됩	니	다.		보	통		일

글씨를 바르게 써 봅시다.

읽기 79쪽

1 글 〈소중한 이〉의 내용을 바르게 써 봅시다.

곱		살		때	부	터	이	갈
이	를		시	작	하	여	열	세 ⌄
살	이		되	면		스	물	여 덟 ⌄
개	의		새		이	가		납 니
다	.	새		이	를		'	간 니 ' ⌄
또	는		'	영	구	치	'	라 고

1 글 〈소중한 이〉의 내용을 바르게 써 봅시다.

합	니	다	.		우	리	는		이	를	∨
소	중	히		여	겨	야		합	니		
다	.		만	약	,		이	갈	이	가	
끝	난		뒤	에		이	가		빠		
지	면		새	로		날		이	가		∨
없	기		때	문	입	니	다	.			

지금까지 배운 내용을 정리하여 봅시다.

1 다음 중 밑줄 친 부분이 바르게 띄어쓰기 된 것은 무엇인가요? (　　)

① 저는 <u>정 대원</u>입니다.

② 너희 선생님은 <u>이연주선생님</u>이시라며?

③ <u>이 순신 장군</u>은 거북선을 만드셨어.

④ <u>영희언니</u>는 친절해.

⑤ <u>김유신 장군</u>은 용감했어.

2 다음을 띄어쓰기에 유의하여 바르게 두 번씩 써 봅시다.

(1) 일곱 살

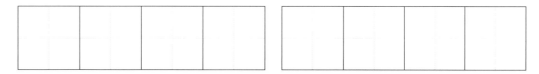

(2) 스물여덟 개

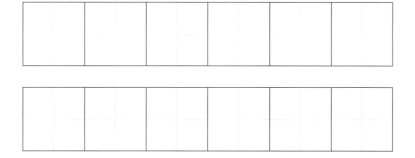

(3) 육 개월

비밀을 찾아라!

다음은 악당들의 쪽지입니다. 악당들은 이 쪽지를 보고 어딘가에 모이게 될 것입니다. 왕눈이가 쪽지의 암호를 풀어 악당을 검 거할 수 있도록 함께 풀어 봅시다. (화살표를 따라 이동 하면 암호가 풀립니다.)

시작

호↓	박←	물↑	관←	서←	도↑	자→
수→	공→	원↓	수↑	영→	장←	기←
술←	궁←	분↓	앞→	시↓	뒤→	쪽→
미→	간←	수→	대↓	장←	편↑	지↓
도↓	자→	세↓	앞←	납→	시→	다→
둘↑	째↓	번←	서→	만↑	장←	골↓
장→	의→	자→	에↑	들→	에↑	다→

▶ 위 쪽지의 암호는 무엇인가요?

6. 하고 싶은 말

 바른 맞춤법을 알아봅시다. | 쓰기 89쪽

※ 다음은 학생들이 식당에 앉아 있는 모습입니다. 식당의 간판에 쓰여 있는 글과 학생들의 대화를 살펴보고, 맞춤법이 틀린 것을 찾아 봅시다. 바른 맞춤법이 무엇인지도 생각해 봅시다.

 궁물은 '국물'로, 학꾜는 '학교'로 바르게 고쳐야 합니다.

소리와 다르게 표기되는 글자를 알아봅시다.

읽기 124~125쪽

1 다음 문장에서 맞춤법이 틀린 낱말을 바르게 고쳐 써 봅시다.

(1) 역시 겨울에는 따뜻한 <u>궁물</u>이 최고야.

⇒ 역시 겨울에는 따뜻한 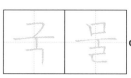이 최고야.

역	시		겨	울	에	는		따
뜻	한		국	물	이		최	고	야.

(2) 당신의 <u>바치</u> 아주 기름지군요.

⇒ 당신의  아주 기름지군요.

당	신	의		밭	이		아	주	∨
기	름	지	군	요.					

소리와 다르게 표기되는 글자를 알아봅시다.

읽기 124~125쪽

■ 다음 문장에서 맞춤법이 틀린 낱말을 바르게 고쳐 써 봅시다.

(3) <u>학꾜</u> 가는 길에는 <u>논뚜렁</u>을 지나간다.

⇒ | 학 | 교 | 가는 길에는 | 논 | 두 | 렁 |을 지나간다.

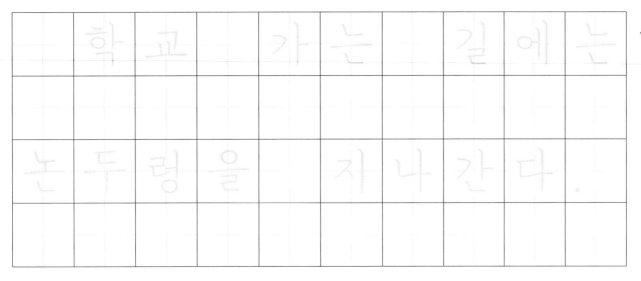

| 학 | 교 | | 가 | 는 | | 길 | 에 | 는 | | ∨ |
| 논 | 두 | 렁 | 을 | | 지 | 나 | 간 | 다 | . | |

(4) <u>해도지</u>보러 동해로 가자.

⇒ | 해 | 돋 | 이 | 보러 동해로 가자.

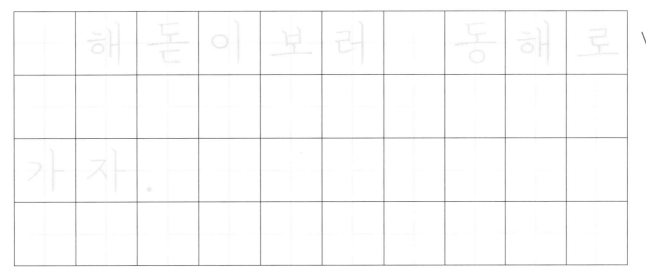

| 해 | 돋 | 이 | 보 | 러 | | 동 | 해 | 로 | | ∨ |
| 가 | 자 | . | | | | | | | | |

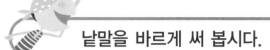

낱말을 바르게 써 봅시다.

쓰기 99쪽

1 낱자 사이의 간격에 유의하여 낱말을 써 봅시다.

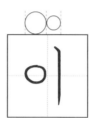
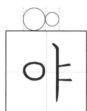

딸	랑
딸	랑

종	이
종	이

양	보
양	보

일	기
일	기

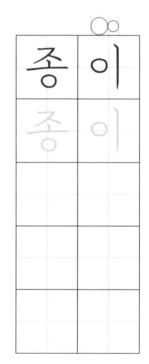

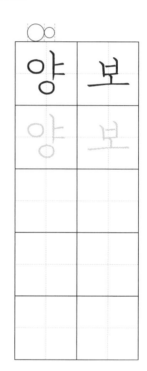

1 다음 글을 바르게 써 봅시다.

우	리		사	회	에	는		많
은		사	람	이		함	께	살
아	가	고		있	습	니	다 .	어
린	이	,	노	인	에	서	부	터

1 다음 글을 바르게 써 봅시다.

우	리	와		얼	굴	색	이		다
른		외	국	인	도		있	습	니
다	.	우	리	는		서	로		다
른		일	을		합	니	다	.	

1 글 〈아씨방 일곱 동무〉의 내용을 자음자 'ㄹ'에 유의하여 글씨를 바르게 써 봅시다.

아	니	,	내		덕	은		몰
라	라		하	고		형	님	자
랑	만		하	는	군	요	.	옷	감
을		잘		재	어		본	들

1 글 〈아씨방 일곱 동무〉의 내용을 자음자 'ㄹ'에 유의하여 글씨를 바르게 써 봅시다.

자	르	지		않	으	면		무	슨	∨
자	르	지		않	으	면			무	슨
소	용	이			있	나	요	?		내
소	용	이			있	나	요	?		내
가		나	서	서			옷	감	을	
가		나	서	서			옷	감	을	
잘	라	야			된	다	고	요	.	
잘	라	야			된	다	고	요	.	

덮어쓰기를 하여 봅시다.

1 글 〈쓰레기통을 놓아야 할까요?〉의 내용을 덮어쓰기하여 바르게 써 봅시다.

	우	리		동	네		놀	이	터
에	는		재	미	있	는		놀	이
기	구	들	이		있	습	니	다	.
우	리	는		자	주		놀	이	터
에		와	서		친	구	들	과	
놉	니	다	.	동	네		어	른	들
이		놀	이	터	에		나	와	
우	리	의		모	습	을		지	켜
보	시	기	도		합	니	다	.	
	예	전	에	는		놀	이	터	에
쓰	레	기	통	이		있	었	습	니
다	.								

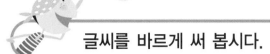 

글씨를 바르게 써 봅시다.

읽기 95쪽

1 글 〈마을 회의〉의 내용을 바르게 써 봅시다.

		마	을		회	의			
	정	우	네		마	을	에	서	
길	을		넓	히	는		일	로	
마	을		회	의	를		열	었	습
니	다	.	마	을		사	람	들	의
									∨
의	견	은		두		가	지	였	습

1 글 〈마을 회의〉의 내용을 바르게 써 봅시다.

니	다	.		길	을		넓	히	자	는	∨
의	견	과			넓	히	지		말	자	
는			의	견	이	었	습	니	다	.	
	먼	저	,		정	우		삼	촌	께	
서		말	씀	하	셨	습	니	다	.		
	"	차	들	이		많	이		다		

1 글 〈마을 회의〉의 내용을 바르게 써 봅시다.

		니	게		되	면		좋	은	
		점	도		있	어	요	.	그	렇
		지	만		길	을		넓	히	려
		면		길	가	의		나	무	를
		많	이		베	어	야			할
		거	예	요	.	공	기	도		나

1 글 〈마을 회의〉의 내용을 바르게 써 봅시다.

	빠	지	게		돼	요	. "	
	그	러	자		소	라		어 머
니	께	서		말	씀	하	셨	습 니
다	.							
	"	길	이		좁	으	니	까
	참		불	편	해	요	.	큰

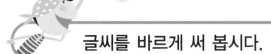

글씨를 바르게 써 봅시다.

읽기 96쪽

1 글 〈마을 회의〉의 내용을 바르게 써 봅시다.

	차	가	들 어 오 지			못
	해		물 건 을		실 어	
	나 르 기		어 려 워 요			. ”
	정 우		삼 촌 과			소 라
어 머 니 의			의 견 이			서
로		달 랐 습 니 다		.		

94 2학년 2학기

지금까지 배운 내용을 정리하여 봅시다.

1 다음 문장에서 옳은 낱말을 선택하여 바르게 써 봅시다.

(1) 우리나라의 (해도지 / 해돋이)는 참 아름답다.

→ _____

(2) 너는 어묵 (국물 / 궁물)을 좋아하니?

→ _____

(3) 꽃(바치 / 밭이) 아름답게 잘 꾸며져 있어.

→ _____

(4) (학교 / 학꾜) 도서실에는 재미있는 책이 많다.

→ _____

2 다음 문장을 바르게 옮겨 써 봅시다.

호호호, 실이 없는 바늘이 무슨 일을 하겠니?

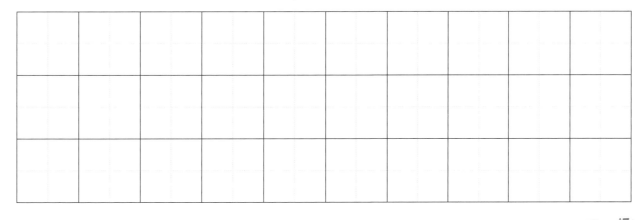

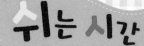

쉬는 시간

우리나라 속담을 알아봅시다.

가재는 게 편

　같은 부류의 사람들끼리 서로 편을 든다는 뜻입니다.

그림의 떡

　아무리 좋은 것이라도 실제로 사용하지 못하면 없는 것이나 마찬가지라는 뜻입니다.

남의 떡이 더 커 보인다.

　다른 사람이 갖고 있는 것이 더 좋아 보인다는 뜻입니다.

7 재미가 솔솔

 비슷한 말을 알아봅시다.　　　　　　　　쓰기 126쪽

※ 다음 낱말은 서로 비슷한 뜻을 가진 것끼리 짝지어져 있습니다.
　　비슷한 낱말을 알아봅시다.

뛰다

달리다

굽히다

숙이다

※ 비슷한 말을 써 봅시다.

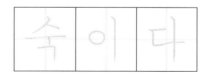

 이 단원에서는 비슷한 말을 알아보고, 바르게 써 봅시다.

7 재미가 솔솔

비슷한 뜻을 가진 낱말을 알아봅시다.

읽기 126쪽

1 다음 낱말과 비슷한 뜻을 가진 낱말을 알아보고, 낱말을 바르게 써 봅시다.

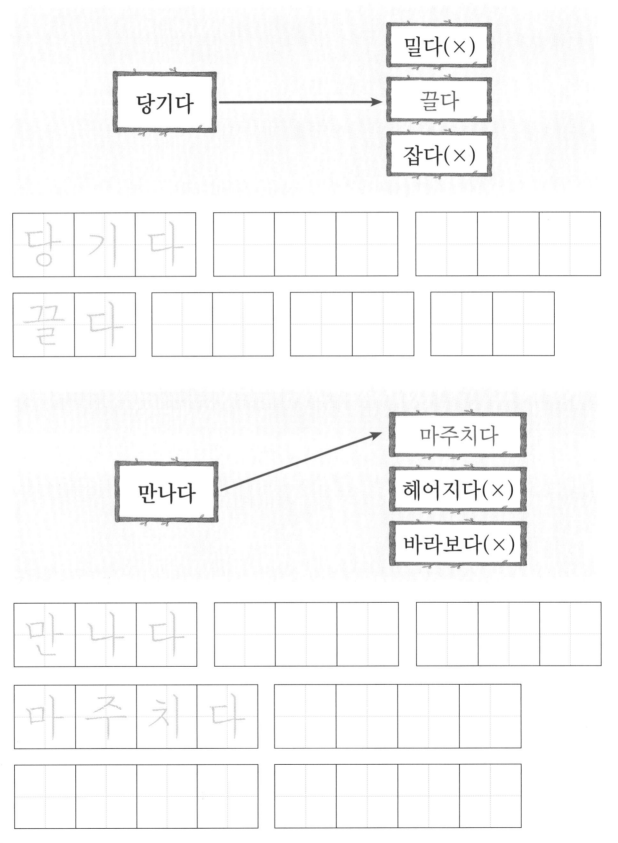

당기다 → 밀다(×) / 끌다 / 잡다(×)

당	기	다						

끌	다						

만나다 → 마주치다 / 헤어지다(×) / 바라보다(×)

만	나	다						

마	주	치	다				

낱말의 뜻을 알아봅시다.

1 '작문 시간'과 '고먹고먹'의 낱말의 뜻을 알아봅시다.

- 작문 시간 : 쓰기 시간

- 고먹고먹 : 눈을 가볍게 자꾸 감았다 떴다하는
  모양을 이르는 말

2 위에서 알아본 낱말을 바르게 써 봅시다.

작	문		시	간
작	문		시	간

고	먹	고	먹
고	먹	고	먹

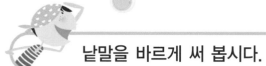

1 낱자 사이의 간격에 유의하여 낱말을 써 봅시다.

따	이	야

 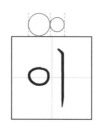 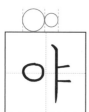

따님

인기

약국

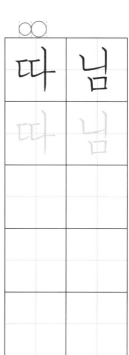 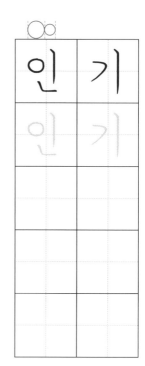

호떡

멋있다

양지

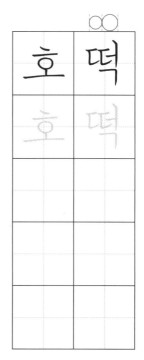

글자의 모양을 생각하며 글씨를 바르게 써 봅시다.

읽기 109쪽

1 시 〈산 위에서 보면〉의 내용을 바르게 써 봅시다.

	산		위	에	서		보	면	
	산		위	에	서		보	면	
	학	교	가		나	뭇	가	지	에
	학	교	가		나	뭇	가	지	에
달	렸	어	요	.					
달	렸	어	요	.					
	새	장	처	럼		읽	어		놓
	새	장	처	럼		읽	어		놓

∨

글자의 모양을 생각하며 글씨를 바르게 써 봅시다.

읽기 109쪽

1 시 〈산 위에서 보면〉의 내용을 바르게 써 봅시다.

은		창	문	에	,	참	새		같
은		창	문	에	,	참	새		같
은		아	이	들	이			쏙	쏙
은		아	이	들	이			쏙	쏙
얼	굴	을			내	밀	지	요	.
얼	굴	을			내	밀	지	요	.

자음자의 위치에 유의하여 글씨를 바르게 써 봅시다.

1 글 〈세 발 달린 황소〉의 내용을 자음자 'ㄹ'에 유의하여 글씨를 바르게 써 봅시다.

	작	문		시	간	이		끝	날	∨
	작	문		시	간	이		끝	날	
무	렵	,		선	생	님	께	서	는	
무	렵	,		선	생	님	께	서	는	
교	실			안	을			두	루	살
교	실			안	을			두	루	살
펴	보	신			뒤			말	씀	하	셨
펴	보	신			뒤			말	씀	하	셨

1 글 〈세 발 달린 황소〉의 내용을 자음자 'ㄹ'에 유의하여 글씨를 바르게 써 봅시다.

습	니	다	.				
습	니	다	.				
	"	좀		조	용	히	해	라	.
	"	좀		조	용	히	해	라	.

" 좀　조 용 히　해 라.

내　읽 을　테 니　들

어　보 아 라. "

덮어쓰기를 하여 봅시다.

1 글 〈세 발 달린 황소〉의 내용을 덮어쓰기하여 바르게 써 봅시다.

아	까		미	술		시	간	의	V
일	이		생	각	났	습	니	다	.
크	레	용	이		없	는		칠	성
이	는		방	환	이		것	을	
빌	려		썼	습	니	다	.	그	래
서		황	소	를		그	려		나
가	는	데	,	무	슨		심	보	가	V
어	떻	게		틀	어	졌	는	지	
내	내		쓰	라	고		하	던	
크	레	용	을		나	중	에	는	
못		빌	려		주	겠	다	고	
오	므	려		싸	서		감	추	어	V
버	렸	습	니	다	.				

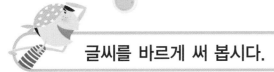 

1 글 〈거꾸로 나라 임금님〉의 내용을 바르게 써 봅시다.

	훈	이	는		그	만		어	리
둥	절	하	였	습	니	다	.	그	때, ∨
산	토	끼	와		다	람	쥐	가	
금	빛		왕	관	을		가	지	고 ∨
와	서		말	하	였	습	니	다	.
	"	거	꾸	로		나	라		임

글씨를 바르게 써 봅시다.

읽기 113쪽

1 글 〈거꾸로 나라 임금님〉의 내용을 바르게 써 봅시다.

금	님	이		되	신		것	을	∨
축	하	합	니	다	.		어	서	
왕	관	을		쓰	십	시	오	.	”
	“	내	가		임	금	이	라	고	?	∨
하	지	만	,		나	는		왕	관
을		쓸		수		없	어	.	

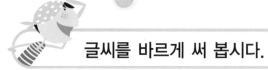

1 글 〈거꾸로 나라 임금님〉의 내용을 바르게 써 봅시다.

머	리	가		거	꾸	로		있
는	데		어	떻	게		왕	관
을		쓰	겠	니	?	”		
	“	헤	헤	헤	…	…	.	걱	정
마	세	요	.	발	에	다		씌
워		드	릴	게	요	.	”	

지금까지 배운 내용을 정리하여 봅시다.

1 다음 중 '당기다'와 비슷한 뜻을 가진 낱말은 무엇인가요? (   )

① 밀다   ② 갖다   ③ 끌다

④ 옮기다   ⑤ 움직이다

2 다음 중 '뛰다'와 비슷한 뜻을 가진 낱말은 무엇인가요? (   )

① 걷다   ② 느리다   ③ 빠르다

④ 기다   ⑤ 달리다

3 다음 문장을 바르게 옮겨 써 봅시다.

칠성이 그림의 황소는 세 발뿐이었습니다.

보물을 찾아라!

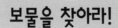 아래에는 보물이 숨어 있습니다. 보물은 친구 사이에 소중히 여겨야 하는 것입니다. 보물을 찾는 방법을 읽어보고 보물을 찾아 봅시다.

보물 찾는 방법

아래 그림의 노란색 칸에 있는 자음자나 모음자와 같은 글자를 색연필로 색칠해 봅시다. 그러면 보물이 글자로 보입니다.

ㄱ	ㅎ	ㄱ	ㄱ	ㄱ	ㅎ	ㅎ	ㅎ	ㄱ	ㄱ	ㄱ	ㄱ	ㅎ	ㄱ
ㄷ	ㄷ	ㅂ	ㅂ	ㅂ	ㄷ	ㅂ	ㅂ	ㅂ	ㅂ	ㄷ	ㅂ	ㅂ	ㄷ
ㅁ	ㄹ	ㅁ	ㅁ	ㅁ	ㄹ	ㄹ	ㄹ	ㄹ	ㅁ	ㅁ	ㄹ	ㅁ	
ㅅ	ㅊ	ㅊ	ㅊ	ㅊ	ㅊ	ㅊ	ㅊ	ㅅ	ㅊ	ㅊ	ㅅ	ㅊ	ㅅ
ㅏ	ㅏ	ㅏ	ㅏ	ㅏ	ㅏ	ㅐ	ㅐ	ㅐ	ㅐ	ㅐ	ㅐ	ㅐ	ㅐ
ㅕ	ㅛ	ㅛ	ㅕ	ㅛ	ㅛ	ㅛ	ㅛ	ㅛ	ㅕ	ㅕ	ㅕ	ㅕ	ㅛ
ㅗ	ㅣ	ㅣ	ㅗ	ㅣ	ㅣ	ㅣ	ㅣ	ㅗ	ㅣ	ㅣ	ㅣ	ㅣ	ㅗ
ㅠ	ㅡ	ㅡ	ㅠ	ㅡ	ㅡ	ㅡ	ㅡ	ㅡ	ㅠ	ㅠ	ㅠ	ㅠ	ㅡ

▶ 위의 색칠한 부분을 봅시다. 어떤 글자가 보입니까?

내가 찾은 보물은 _____입니다.

모범정답

1단원
느낌을 나누어요

17쪽

1.

(1) 철이는 지난 일을 곰곰이 생각해 보았다.

(2) 배가 불러서 도저히 더 못 먹겠어.

(3) 길거리에 쓰레기가 수북이 쌓였구나!

(4) 도서실에서는 조용히 해야 한다.

2.

	한		잎,	두		잎,	나
뭇	잎	이		바	람	에	떨	어
지	기		시	작	하	였	어	요.

2단원
바르게 알려 줘요

31쪽

1. (1)×, (2)○, (3)○, (4)○

2.

(1) 저는 '여우와 두루미'라는 책을 <u>소개하겠습니다.</u>

(2) 나는 책을 재미있게 <u>읽었어.</u>

(3) 나의 <u>겉모습</u>이 자랑스러워.

32쪽

1. 흥부와 놀부

3단원
생각을 나타내요

47쪽

1.

(1)

	자	동	차	처	럼		움	직	이
는		집	이		있	으	면		좋
겠	어	요.							

(2)

	마	당	이		있	는		집	에
서		살	고		싶	어	요.		

2. (1) 달걀, (2) 모아, (3) 숙여

4단원
마음을 주고받으며

63쪽

1.

	그	것	을		드	시	면		어
머	니	의		병	이		나	을	지
도	…	….							

2. ①-ㄹ, ②-ㄱ, ③-ㄷ, ④-ㄴ

64쪽

모범정답

5단원

어떻게 정리할까요?

79쪽

1. ⑤

2.

(1)
일	곱		살

(2)
스	물	여	덟		개

(3)
육		개	월

80쪽

● 암호 : 호수공원 분수대 앞 세 번째 의자에서 만납시다.

6단원

하고 싶은 말

95쪽

1.

(1) 우리나라의 해돋이는 참 아름답다.

(2) 너는 어묵 국물을 좋아하니?

(3) 꽃밭이 아름답게 잘 꾸며져 있어.

(4) 학교 도서실에는 재미있는 책이 많다.

2.

	호	호	호	,	실	이		없	는 ∨
바	늘	이		무	슨		일	을	
하	겠	니	?						

7단원

재미가 술술

109쪽

1. ③

2. ⑤

3.

	칠	성	이		그	림	의		황
소	는		세		발	뿐	이	었	습
니	다	.							

110쪽

● 보물 : 우정

ㄱ	ㅎ	ㄱ	ㄱ	ㄱ	ㅎ	ㅎ	ㅎ	ㄱ	ㄱ	ㄱ	ㄱ	ㅎ	ㄱ
ㄷ	ㄷ	ㅂ	ㅂ	ㅂ	ㄷ	ㅂ	ㅂ	ㅂ	ㅂ	ㄷ	ㅂ	ㅂ	ㅂ
ㅁ	ㄹ	ㅁ	ㅁ	ㅁ	ㄹ	ㄹ	ㄹ	ㄹ	ㅁ	ㅁ	ㄹ	ㅁ	ㅁ
ㅅ	ㅊ	ㅊ	ㅊ	ㅊ	ㅊ	ㅊ	ㅊ	ㅅ	ㅊ	ㅊ	ㅅ	ㅊ	ㅅ
ㅏ	ㅏ	ㅏ	ㅑ	ㅏ	ㅏ	ㅒ	ㅒ	ㅒ	ㅒ	ㅏ	ㅒ	ㅒ	ㅏ
ㅕ	ㅛ	ㅛ	ㅕ	ㅛ	ㅛ	ㅛ	ㅛ	ㅕ	ㅕ	ㅕ	ㅕ	ㅕ	ㅛ
ㅗ	ㅣ	ㅣ	ㅗ	ㅣ	ㅣ	ㅣ	ㅣ	ㅗ	ㅣ	ㅣ	ㅣ	ㅣ	ㅣ
ㅠ		ㅡ	ㅠ	ㅡ			ㅡ		ㅠ	ㅠ	ㅠ	ㅠ	

단계별
단원 받아쓰기

급수	점수	확인
1급	점	
2급	점	
3급	점	
4급	점	
5급	점	
6급	점	
7급	점	
8급	점	
9급	점	
10급	점	
11급	점	

급수	점수	확인
12급	점	
13급	점	
14급	점	
15급	점	
16급	점	
17급	점	
18급	점	
19급	점	
20급	점	
21급	점	

❶ 문장 부호와 띄어쓰기도 함께 정확히 공부합니다.

❷ 예쁘고 바른 글씨로 받아쓰기합니다.

❸ ∨표시는 띄어쓰기를 나타내는 표시입니다. 그러므로 받아쓰기할 때에는 쓰지 않습니다.

받아쓰기 카드 활용 방법

❶ '받아쓰기 급수 확인서'는 받아쓰기 공책 맨 뒷장에 붙입니다.

❷ '받아쓰기 카드'는 신에 맞춰 예쁘게 자르고, 왼쪽 위에 구멍을 뚫어 둥근 클립을 끼워 사용합니다. (받아쓰기 카드를 코팅하면 구겨지지 않아요.)

❸ 집에서 받아쓰기 연습을 하고 틀린 단어나 문장은 공책에 여러 번 읽고 쓰면서 익히도록 합니다.

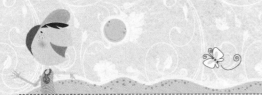

초등
2·2

받아쓰기 카드

------------------------------ 초등학교

2학년 ------------------- 반 ---------------- 번

이름 : ---------------------------------

모음자

쓸 때	읽을 때	쓸 때	읽을 때
ㅏ	아	ㅛ	요
ㅑ	야	ㅜ	우
ㅓ	어	ㅠ	유
ㅕ	여	ㅡ	으
ㅗ	오	ㅣ	이

2급

1. 느낌을 나누어요

① 쫓아다니느라∨고생을∨하였습니다.
② 꿩∨한∨마리를∨잡았습니다.
③ 꿩을∨구워∨먹고∨가자꾸나.
④ 신이∨나서∨불을∨피웠습니다.
⑤ 꾀를∨내어∨말하였습니다.
⑥ 노릇노릇∨구워진∨꿩고기를
⑦ 쫄깃쫄깃∨맛이∨있을까?
⑧ 냠냠∨한∨번∨먹어∨볼까?
⑨ 양반은∨얼굴이∨붉어져
⑩ 고기를∨건네며∨말하였습니다.

4급

2. 바르게 알려 줘요

① 삶의∨보금자리
② 농사짓는∨도구들
③ 손으로∨만져∨볼∨수∨있습니다.
④ 무기와∨갑옷을∨직접∨보고,
⑤ 고래가∨물을∨뿜어요.
⑥ 오랫동안∨잠수한∨고래는
⑦ 모습이∨특이하단다.
⑧ 왼쪽으로∨치우쳐∨있어
⑨ 비스듬히∨물을∨뿜지.
⑩ 고래의∨머리∨꼭대기에∨있단다.

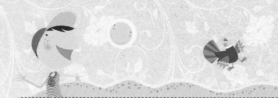

1급 1. 느낌을 나누어요

① 한∨줄기에∨조로롱∨매달린
② 달랑달랑∨방울∨소리
③ 은방울에∨맺힌∨빗방울
④ 밤∨한∨되를∨사다가
⑤ 선반∨밑에∨두었더니
⑥ 밤∨한∨톨이∨남았구나.
⑦ 가마솥에다∨삶아서
⑧ 겉껍질은∨누나∨주고
⑨ 야들야들∨다∨익었을까?
⑩ 꿩∨사냥을∨나갔습니다.

자음자

쓸 때	읽을 때	쓸 때	읽을 때
ㄱ	기역	ㅇ	이응
ㄴ	니은	ㅈ	지읒
ㄷ	디귿	ㅊ	치읓
ㄹ	리을	ㅋ	키읔
ㅁ	미음	ㅌ	티읕
ㅂ	비읍	ㅍ	피읖
ㅅ	시옷	ㅎ	히읗

5급 2. 바르게 알려 줘요

① 서로∨말을∨곱게∨하라는∨뜻
② 예로부터∨전해져∨왔습니다.
③ 속담은∨교훈을∨담고∨있습니다.
④ 가르침을∨담고∨있습니다.
⑤ 조상의∨지혜가∨담겨∨있습니다.
⑥ 전해져∨오는∨짧은∨말
⑦ 많은∨사람이∨속담을∨사용합니다.
⑧ 티끌∨모아∨태산
⑨ 마을∨어귀나∨길가에
⑩ 흔히∨장승을∨볼∨수∨있었어.

3급 1. 느낌을 나누어요

① 두∨귀를∨쫑긋거리며
② "마음껏∨마시렴."
③ 깡충깡충∨뛰어다녔어요.
④ 망가뜨리면∨혼쭐을∨낼∨거야.
⑤ 바짝∨말랐겠구나.
⑥ 새로운∨물이∨솟고∨있단다.
⑦ 바람이∨후루룩∨지나가자,
⑧ 나뭇잎이∨자꾸만∨쌓여∨갔어요.
⑨ 홀짝홀짝∨샘물을∨마셨어요.
⑩ 까맣게∨잊었어요.

6급 — 2. 바르게 알려 줘요

1. 길을∨알려∨주는∨역할
2. 길목에∨있는∨장승을∨보며
3. 얼굴∨모습도∨아주∨다양하단다.
4. 도깨비처럼∨무섭게∨만들거나
5. 재미있고∨우스꽝스러운∨모습
6. 우리에게∨고마운∨친구야.
7. 할아버지처럼∨친근한∨모습
8. 어려움을∨함께∨나누는∨동무
9. 나무나∨돌을∨깎아∨만든∨장승
10. 인사하여∨보면∨어떨까?

8급 — 3. 생각을 나타내요

1. "산딸기를∨따∨오너라."
2. 이∨일을∨어찌할꼬?
3. 아버지께∨여쭈어∨보았어.
4. 제가∨다녀오겠습니다.
5. 아버지께서∨편찮으셔서
6. 꾀병을∨부리는구나.
7. 어이없다는∨듯이∨꾸짖었어.
8. 사또님∨말씀이∨옳습니다.
9. 사또는∨얼굴을∨붉히며
10. 독사한테∨물리셨습니다.

10급 — 4. 마음을 주고받으며

1. 어저께도∨홍시∨하나
2. 다리를∨절뚝거리며
3. 운동장에서∨경기를∨하였다.
4. 고깔을∨빨리∨돌아오면
5. 우리∨편이∨조금∨앞서∨있었다.
6. 내∨짝∨민지∨차례가∨되었다.
7. 민지를∨일으켜∨줘야∨하나?
8. 얼굴이∨빨갛게∨변해∨있었다.
9. 옷에는∨흙이∨묻어∨있었다.
10. 내∨시가∨뽑혔다.

12급 — 4. 마음을 주고받으며

1. 지혜로운∨노인을∨찾아갔습니다.
2. 높고∨험한∨산을
3. 곧장∨약초를∨찾으러∨떠났습니다.
4. 바위∨위에∨주저앉았습니다.
5. 호호백발∨할머니께서∨다가와
6. 어머니께서∨많이∨편찮으신데,
7. 장생초를∨드시면∨낫는다고
8. 힘들게∨왔는데∨안타깝구먼.
9. 늙고∨힘이∨없어
10. 정신을∨잃고∨쓰러졌습니다.

9급 — 3. 생각을 나타내요

① 동생과 ∨ 산책을 ∨ 하였습니다.
② 예쁜 ∨ 꽃과 ∨ 나무를 ∨ 보았습니다.
③ 개천이 ∨ 이렇게 ∨ 더러웠어요?
④ 물은 ∨ 소중하니까요.
⑤ 쓰레기를 ∨ 함부로 ∨ 버리면
⑥ 어머니께 ∨ 약속하였습니다.
⑦ 친구들과 ∨ 뛰어놀기에도 ∨ 좋아.
⑧ 여러 ∨ 곳을 ∨ 여행하고 ∨ 싶어.
⑨ 아름다운 ∨ 집을 ∨ 꾸며 ∨ 보자.
⑩ 큰 ∨ 집을 ∨ 만들면 ∨ 좋겠어.

7급 — 3. 생각을 나타내요

① 네모, ∨ 세모, ∨ 동그라미
② 자기 ∨ 자랑을 ∨ 하였어요.
③ 뾰족한 ∨ 자기 ∨ 머리를 ∨ 자랑
④ 넓적한 ∨ 자기 ∨ 얼굴
⑤ 갑자기 ∨ 비가 ∨ 내렸어요.
⑥ 얼른 ∨ 나무 ∨ 밑으로 ∨ 굴러갔어요.
⑦ 네모는 ∨ 구를 ∨ 수가 ∨ 없었지요.
⑧ 세모를 ∨ 데려다 ∨ 주었답니다.
⑨ 심술궂은 ∨ 사또가 ∨ 살았어.
⑩ 찬바람이 ∨ 쌩쌩 ∨ 부는 ∨ 겨울날,

13급 — 5. 어떻게 정리할까요?

① 다른 ∨ 사람의 ∨ 딱지를 ∨ 따는 ∨ 놀이
② 부르는 ∨ 이름은 ∨ 여러 ∨ 가지입니다.
③ 뒤집기로 ∨ 딱지를 ∨ 따려면
④ 이를 ∨ 깨끗이 ∨ 닦는 ∨ 습관
⑤ 상대방의 ∨ 딱지를 ∨ 원 ∨ 밖으로
⑥ 태어나고 ∨ 처음으로 ∨ 나는 ∨ 이
⑦ 앞니 ∨ 두 ∨ 개
⑧ 태어난 ∨ 지 ∨ 육 ∨ 개월쯤 ∨ 되면
⑨ 이를 ∨ 소중히 ∨ 여겨야 ∨ 합니다.
⑩ 사실을 ∨ 잊으면 ∨ 안 ∨ 됩니다.

11급 — 4. 마음을 주고받으며

① 머리를 ∨ 쓰다듬어 ∨ 주셨다.
② 내가 ∨ 쓴 ∨ 시가 ∨ 실렸다.
③ 발걸음이 ∨ 가벼웠다.
④ 자동차도 ∨ 빵빵 ∨ 소리를 ∨ 내며
⑤ 학교 ∨ 누리집을 ∨ 찾아보았다.
⑥ 시를 ∨ 읽으며 ∨ 흐뭇해하셨다.
⑦ 열심히 ∨ 읽었기 ∨ 때문에
⑧ 책은 ∨ 선물 ∨ 보따리란다.
⑨ 외딴 ∨ 마을에 ∨ 살았습니다.
⑩ 품삯을 ∨ 받고 ∨ 남의 ∨ 일을

14급 — 5. 어떻게 정리할까요?

1. 전나무,∨잣나무,∨소나무 향
2. 여러∨가지∨들꽃이
3. 주변에서∨흔히∨볼∨수∨없는
4. 햇빛을∨받으며∨푸릇푸릇하게
5. 열매∨맺는∨모습을
6. 우리나라∨산과∨들에서
7. 들꽃∨정원이∨있습니다.
8. 울창한∨나무∨사이로
9. 옷감에∨물을∨들였습니다.
10. 오솔길이∨끝나는∨곳

16급 — 6. 하고 싶은 말

1. 많은∨사람이∨함께
2. 우리와∨얼굴색이∨다른∨외국인
3. 살아가는∨모습도∨다릅니다.
4. 우리∨동네∨놀이터에는
5. 놀이터에∨와서∨친구들과∨놉니다.
6. 아무∨데나∨버리게∨되었습니다.
7. 쓰레기∨버릴∨곳이∨있으면
8. 훨씬∨깨끗해질∨것이라고∨합니다.
9. 나쁜∨냄새도∨납니다.
10. 길을∨넓히는∨일로

18급 — 6. 하고 싶은 말

1. 옷감을∨잘∨재어∨본들
2. 형님∨자랑만∨하는군요.
3. 바느질을∨즐겨∨하는∨아씨
4. 넓고∨좁음,∨길고∨짧음
5. 꿰어야∨보배이지요.
6. 실이∨없는∨바늘
7. 진짜∨주인공이∨아니겠어?
8. 나도∨말참견∨좀∨해야겠다.
9. 아씨∨손∨다칠세라
10. 말끔히∨펴∨주여야∨하지요.

20급 — 7. 재미가 솔솔

1. 머리가∨땅바닥에∨닿았습니다.
2. 땅을∨짚고∨물구나무섰습니다.
3. 웬일인지∨몸이∨말을∨듣지
4. 물구나무선∨채로∨앞으로
5. 거꾸로∨다니고
6. 발에다∨씌워∨드릴게요.
7. 똑바로∨서려고∨안간힘을
8. 세∨발∨달린∨황소
9. 마음대로∨지어∨보렴.
10. 팔꿈치를∨세워∨머리를

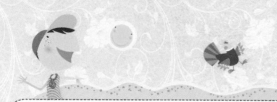

17급

6. 하고 싶은 말

① 물건을∨실어∨나르기∨어려워요.
② 삼촌께서∨말씀하셨습니다.
③ 차들이∨많이∨다니게∨되면
④ 나무를∨많이∨베어야∨할∨거예요.
⑤ 공기도∨나빠지게∨돼요.
⑥ 길이∨좁으니까∨참∨불편해요.
⑦ 의견이∨서로∨달랐습니다.
⑧ 입을∨삐쭉이며∨따지듯이
⑨ 새침데기∨바늘∨각시
⑩ 따끔하게∨쏘듯∨한마디∨합니다.

15급

5. 어떻게 정리할까요?

① 천연∨염색의∨재료
② 자연에서∨색을∨얻어
③ 그∨물에∨천을∨담그면
④ 오징어∨먹물과∨벌레
⑤ 여러∨가지∨색이∨나옵니다.
⑥ 옛날부터∨파란색을∨낼∨때에는
⑦ 흔히∨보는∨식물이나∨동물
⑧ 끓이면∨노란색∨물이∨나오는데,
⑨ 공기와∨닿으면∨파란색이∨됩니다.
⑩ 옷감을∨오징어∨먹물에∨넣으면

21급

7. 재미가 솔솔

① 커다란∨두∨뿔로
② 아무리∨사정하여도
③ 교실∨뒷벽∨한가운데
④ 심보가∨어떻게∨틀어졌는지
⑤ 코대답도∨하지∨않았습니다.
⑥ 작문∨시간이∨끝날∨무렵,
⑦ 읽을∨테니∨들어∨보아라.
⑧ 신통한∨생각이∨솟지∨않았습니다.
⑨ 이마가∨종이에∨부딪칠∨만큼
⑩ 머릿속에∨번갯불처럼∨스치는∨것

19급

7. 재미가 솔솔

① 귤∨한∨개가∨방을∨가득∨채운다.
② 쏙쏙∨얼굴을∨내밀지요.
③ 빛으로∨물들이고,
④ 사르르∨군침∨도는∨맛으로
⑤ 나뭇가지에∨달렸어요.
⑥ 새장처럼∨얽어∨놓은∨창문에
⑦ 참새∨같은∨아이들이
⑧ 길을∨잃어버리고∨말았습니다.
⑨ 한참을∨헤매다가
⑩ 푯말을∨발견하였습니다.